Pour mes filles Chloé et Marie

ISBN 978-2-211-07922-8
Première édition dans la collection *lutin poche* : mai 2005
© 2004, kaléidoscope, Paris
Loi numéro 49 956 du 16 juillet 1949 sur les publications
destinées à la jeunesse : mars 2004
Dépôt légal : avril 2007
Imprimé en France par Pollina à Luçon - n° L43111

Geoffroy de Pennart

Chapeau rond rouge

kaléidoscope
lutin poche de l'école des loisirs
11, rue de Sèvres, Paris 6e

Il était une fois une petite fille qui vivait avec ses parents
à l'orée de la forêt. Comme elle ne quittait jamais
le chapeau rond et rouge que lui avait offert sa grand-mère,
on l'avait surnommée Chapeau rond rouge.

« C'est la fête de Mère-Grand aujourd'hui. Tu veux bien
lui apporter ces deux galettes et ce petit pot de beurre ?
Je sais qu'elle serait enchantée de te voir. »
Chapeau rond rouge accepta avec plaisir,
elle adorait sa grand-mère.

« Je préfère que tu passes par les champs », lui dit sa mère ;
« c'est plus court par la forêt, mais… »
« Oui, oui, je sais, il y a le loup. Ne t'en fais pas, Maman,
je connais la musique. »

Au bord de la route, Chapeau rond rouge
tomba sur un grand chien gris endormi
contre une meule de foin.

Elle ne résista pas ; elle sortit sa trompette de poche.

L'animal se réveilla en sursaut, complètement terrorisé.
« Qu'est… qu'est… qu'est-ce que c'est ! ? ! »

« Oh ! la tête du chien ! Ha ! Ha ! Ha !
Oui, oui, je sais, pas très sympa le coup de la trompette,
mais c'était plus fort que moi.
Tiens, voici une galette pour me faire pardonner. »
« Je… je… je ne suis pas un chien,
je… je… je suis le loup et je… je… je… »

« Oh l'autre ! Mais non, tu n'es pas le loup ;
le loup vit dans la forêt et il est très méchant.
Tu t'es vu, toi, avec ta bonne bouille de toutou gentil ? »
« Mais si, je… je… je suis le loup… »

« C'est ça, dans tes rêves peut-être. Allez, Mère-Grand
m'attend, faut que j'y aille. Tu vois la fumée, c'est juste là,
mais à cause du loup, je dois contourner la forêt.
Au revoir mon gros chien… »

Le loup, car c'était bien lui, reprit peu à peu ses esprits.
« La petite peste ! Oh mon pauvre cœur ! »

« Mais elle va voir ce qu'elle va voir ! Je vais lui en donner
du gros toutou gentil… Je m'en vais fourrer cette galette
de la petite effrontée et puis la manger ! »

Et le loup partit en courant vers la maison de Mère-Grand.
Il fonça droit dans la forêt. Il ne regarda ni à gauche,
ni à droite. La maison était en vue.
« Encore cette petite route à traverser et… »

Bing !

… une auto l'envoya valdinguer dans un fourré !

C'était justement Mère-Grand qui revenait du supermarché.
« Oh là là ! Misère ! Le pauvre chien ! Il est arrivé si vite,
je n'ai pas pu l'éviter ! »

« Juste ciel ! Il n'est pas mort. Vite, dans le lit,
et je file chercher le docteur… »

Chapeau rond rouge arriva alors chez Mère-Grand.
« Bonne fête, Mère-Grand ! C'est moi, le soleil de ta vie,
je t'apporte deux, heu, une galette… »

« Oh ! Tu es couchée. Tu es malade ?
Quelle mine épouvantable ! »

« Mais non ! C'est ce gros chien qui joue au loup.
L'affreux ! Le misérable ! Il a mangé ma Mère-Grand !
Dire que je lui ai donné une galette ! »
À ces cris, le loup ouvrit un œil, complètement ahuri :

« Qui… qui… qui est là ? »
Chapeau rond rouge l'assomma avec un chandelier.
« Prends ça, sale bête ! »

« Mère-Grand, est-ce que tu m'entends ? Mère-Grand !
Je vais te sortir de là ! »

Et elle s'en fut chercher un couteau dans la cuisine.

« Oh ! Misère ! Il a trépassé ! »
s'exclama Mère-Grand qui arrivait avec le docteur.

« Je ne comprends pas, ce pauvre chien respirait encore
lorsque je suis partie vous chercher... »

« Oh ! Mère-Grand ! Tu es vivante !
Je croyais que le chien t'avait dévorée, je voulais te sauver,
et maintenant il est mort ! C'est ma faute ! »

« Doucement, doucement », intervint le docteur.
« Cet animal – qui, soit dit en passant, n'est pas un chien
mais un énorme loup – n'est pas mort.
Je vais le soigner, mais il me faut un peu de calme. »

Le docteur réussit à sauver l'animal,
qui passa sa très longue convalescence chez Mère-Grand.

Après quoi, il dut se résigner à son sort :
sa réputation de loup féroce en avait pris un coup.
Il finit donc ses jours auprès de la vieille dame.

Quant à Chapeau rond rouge, marquée à tout jamais
par cette aventure, elle est devenue
un médecin de renommée internationale.